JEUNESSE

La Disparition
du bébé chocolat

roman

De la même auteure chez Québec Amérique

Jeunesse

Ping-Pong contre Tête-de-Navet, coll. Bilbo, 2003.

La Disparition
du bébé chocolat

ANDRÉE POULIN
ILLUSTRATIONS : ALLEN EGAN

QUÉBEC AMÉRIQUE Jeunesse

Données de catalogage avant publication (Canada)

Poulin, Andrée
La Disparition du bébé chocolat
(Bilbo ; 138)
ISBN 2-7644-0370-4
I. Titre. II. Collection: Bilbo jeunesse ;138.
PS8581.O837D57 2004   jC843'.54   C2004-941302-3
PS9581.O837D57 2004

 Conseil des Arts **Canada Council**
du Canada **for the Arts** $\int o \Bbb D\in C$
                                                            Québec ᆵ

Nous reconnaissons l'aide financière du gouvernement du Canada
par l'entremise du Programme d'aide au développement de l'industrie
de l'édition (PADIÉ) pour nos activités d'édition.

Gouvernement du Québec – Programme de crédit d'impôt pour
l'édition de livres – Gestion SODEC.

Les Éditions Québec Amérique bénéficient du programme de subvention
globale du Conseil des Arts du Canada. Elles tiennent également à
remercier la SODEC pour son appui financier.

Québec Amérique
329, rue de la Commune Ouest, 3e étage
Montréal (Québec) H2Y 2E1
Téléphone: (514) 499-3000, télécopieur: (514) 499-3010

Dépôt légal: 3e trimestre 2004
Bibliothèque nationale du Québec
Bibliothèque nationale du Canada

Révision linguistique: Chantale Landry
Mise en pages: Andréa Joseph [PAGEXPRESS]

*À Neale, qui m'a consolée
quand l'Afrique me bousculait.*

Remerciements

Merci à mes lectrices dévouées : Martine, Pauline, Manon, Louise et Sylvie.

Merci aux Africains qui m'ont si généreusement conseillée, notamment Sibiri Sawadogo et Fatimata Diallo-Ouédraogo.

Merci aussi aux jeunes qui ont commenté mon manuscrit :

- les élèves de l'école et de l'Académie Saint-Clément de Mont-Royal ;

- les élèves de la classe de Julie Cyr, école Louis-Lafortune de Delson ;

- les élèves de la classe de Marie-France Bruneau, école Carrefour Jeunesse de Rockland, Ontario.

Le contenu d'une cacahuète est suffisant pour que deux amis puissent le partager.

Proverbe burkinabé

Chapitre 1

Rouge comme la rage

Léda arrache à pleines poignées les hibis-cus* dont sa mère raffole. Elle déchire les pétales rouges, les jette dans la piscine. Elle renverse les pots de fleurs sur la terrasse.

La gamine galope au fond de la cour où se dresse la termitière, un pic de terre pas plus haut que son genou. Depuis leur arri-vée en Afrique, son père a passé des heures à observer l'activité de ces termites*. Léda lève le pied, hésite un instant. La rage lui secoue les épaules. D'un coup de talon, elle

---

✿ **Hibiscus** : cette plante à fleurs enjolive les jardins et les routes de Ouagadougou.

✿ **Termite** : cette fourmi à quatre ailes construit sa

fracasse la maison des fourmis. Des centaines d'insectes, paniqués, s'enfuient.

Léda piaffe autour de la cour, cherchant autre chose à casser. Sur la table de pique-nique, trois grosses mangues* mûrissent au soleil. « Nos mangues, c'est notre or », répète souvent Dieudonné, le jardinier. La fillette jette les fruits sur la terrasse, les piétine avec fougue. Ils éclatent. Chloc ! Le jus gicle. Elle ramasse la pulpe écrabouillée et la lance dans la piscine.

À bout de souffle, elle se laisse tomber sur une chaise. La rage l'a quittée. Elle contemple les dégâts : son t-shirt taché de jus de fruits, les hibiscus ravagés, la termitière détruite, l'eau de la piscine transformée en soupe aux déchets. Elle sourit, satisfaite.

« Ils seront tous fâchés, pense Léda. Maman criera. Papa sermonnera. Dieudonné prendra son air de chien battu. Comme ça, je ne serai plus la seule à être malheureuse. »

❀ **Mangue :** ce fruit à la chair jaune, pousse en grande quantité au Burkina Faso.

Cette nuit-là, tandis que Léda rêve à l'hiver et à son retour au Québec, un homme fait lentement le tour de la cour. Cet homme est aussi long et maigre qu'un bâton de berger. Il a un trou dans la semelle de sa sandale et un trou dans sa manche de chemise. Dans ses poches : aucun trou. Seulement de l'or.

L'homme redresse un pot de fleurs, replace délicatement une branche d'hibiscus. De ses longs doigts brun café, il caresse les pétales rouges. Il se dirige vers la termitière, s'accroupit devant le nid dévasté. La face ronde de la pleine lune éclaire les insectes en pleine activité. Une longue file de fourmis déménage à l'autre bout de la cour. Plusieurs centaines sont déjà rendues à destination et s'affairent à reconstruire leur gratte-ciel miniature. À deux mains, l'homme pousse la terre sablonneuse, déblaye un chemin, façonne un mur pour les termites. Il sait qu'il faut beaucoup de courage pour se réinstaller dans un nouvel endroit.

Chapitre 2

Beige comme le Burkina Faso

Léda déteste l'Afrique. Ici, le soleil brûle les yeux. La chaleur donne des boutons dans le cou. La poussière fait tousser. Elle n'aime pas le Burkina Faso*, ce pays trop beige, trop plat. Elle trouve sa nouvelle ville laide. Son nom bizarre, imprononçable. Ouagamachin. Elle n'aime pas marcher dans ses rues crevassées, parsemées de crottin d'âne et de déchets. Elle a peur de ses bandes d'enfants « bedaines à l'air », qui lui crient : « Nassara ! Nassara !* Elle

---

❀ **Burkina Faso** : petit pays d'Afrique de l'Ouest, dont le nom signifie « pays de l'homme intègre ».
❀ **Nassara** : le nom que les Burkinabés donnent aux Blancs.

ne connaît pas ce mot mais sait bien qu'il ne s'agit pas d'un compliment.

Léda n'aime pas son quartier, ses habitations entourées de hauts murs, avec un gardien posté devant chaque portail. On se croirait en prison. Elle n'aime pas sa nouvelle maison, le bourdonnement incessant des brasseurs d'air, les geckos*, sillonnant les murs du salon.

Léda ne s'habitue pas à tous ces étrangers qui travaillent dans sa maison : un cuisinier, une femme de ménage, un jardinier et un gardien. Tous Noirs. D'ailleurs, Léda se demande bien pourquoi on dit des « Noirs » alors qu'ils ont la peau *brune*. Tous ces employés qui circulent chez elle se parlent entre eux en moré*, une langue bizarre qu'elle ne comprend pas. Ils rient trop fort, trop souvent. La fillette est convaincue qu'ils se moquent d'elle.

Léda n'aime pas sa nouvelle école. Des enfants de trente-deux pays différents la fréquentent et ils parlent français avec

---

☀ **Gecko** : un petit lézard grimpeur aux yeux globuleux. Grâce à ses pattes munies de lamelles collantes, il se déplace agilement sur toutes les surfaces.

☀ **Moré** : l'une des langues du Burkina Faso.

trente-deux accents différents. Elle trouve ridicule son nouvel horaire, avec congé le jeudi et classe le samedi matin. Le samedi matin ! Comment ses parents croient-ils qu'elle pourra se faire de nouvelles amies ? C'est presque la fin de l'année scolaire…

Chaque matin, à l'aube, Léda est réveillée par l'appel à la prière qui s'échappe de la mosquée* voisine. Elle ne s'habitue pas à ce chant mélancolique qui lui donne envie de pleurer.

Sitôt levée, elle scrute le ciel. Toujours pareil ce ciel : trop bleu, trop nu. Pas le moindre nuage pour botter les fesses du soleil. Rien que des vautours qui planent en paresseux, qui volent où ils veulent. Léda leur lance des pierres. Ils n'ont pas le droit d'être aussi laids et aussi libres.

Toute la journée, la fillette végète. Elle n'a pas envie de bouger. La chaleur l'étourdit, l'écrase. Elle hait cette impression de vivre dans un four.

Lorsque la nuit tombe sur le Burkina Faso, des idées noires s'abattent sur Léda. La peur l'assaille. Peur des moustiques qui

---

❀ **Mosquée** : le bâtiment où les musulmans vont prier.

donnent la fièvre. Peur des grosses chauves-souris blondes qui viennent boire dans la piscine. Peur de cette étrange lune africaine qui grimpe dans le ciel la tête en bas.

Dans la tente-moustiquaire qui entoure son lit, Léda étouffe. Elle pense au sucre à la crème de sa grand-mère. À son chien, qui court sans elle sur les plaines d'Abraham. À son ancienne chambre où dort maintenant l'étranger qui a loué leur maison.

À sa meilleure amie qui ne lui a pas encore écrit. Tout ça l'empêche de dormir. Elle appelle sa mère à la rescousse.

— Maman, ça veut dire quoi « Nassara » ?

— Ça veut dire le Blanc, l'étranger.

Léda hoche la tête. Oui, c'est bien elle l'étrangère qui se sent perdue dans ce pays étrange.

Elle ne peut résister. Elle pose encore sa question. Toujours la même. Elle a dû la poser cent fois depuis son arrivée à Ouagadougou*. Bien sûr, elle connaît la réponse, mais chaque fois, elle en espère une autre, plus encourageante.

— Maman, quand est-ce qu'on retourne au Québec ?

— Tu le sais bien, ma biquette. Dans deux ans.

Léda gémit. Deux ans ! Une éternité ! Son chien l'aura oubliée. Sa meilleure amie aura trouvé une autre meilleure amie. Elle ne sera plus la championne de ski.

✿ **Ouagadougou** : la capitale du Burkina Faso, où circulent beaucoup de motos, de vélos, d'ânes et de charognards.

— Maman, j'ai des crampes. Je n'arrive pas à dormir.

— Tu as le mal du pays.

— C'est toi, le médecin. Guéris-moi.

— Le meilleur remède contre le mal du pays, c'est de ne pas y penser. D'apprécier le moment présent au lieu de désirer ce qui se trouve ailleurs.

— Le meilleur remède contre le mal du pays, c'est de rentrer chez nous, rétorque Léda d'un ton buté.

La mère soupire mais ne réplique pas. Elle se penche pour embrasser sa fille, qui se tourne contre le mur et enfouit son visage dans l'oreiller.

Chapitre 3

Verdâtre comme
le crottin d'âne

Chaque matin, la même dispute recommence. Chaque matin, Léda se bute au même refus.

— Je suis assez vieille pour faire le trajet toute seule.

Sa mère soupire, remue la tête de gauche à droite.

— J'ai dix ans! Je ne suis plus un bébé.

— Léda, j'ai dit *non* hier. Je n'ai pas changé d'idée.

— Ça ne prend même pas cinq minutes à pied!

— Tu as vu le désordre sur les routes? Les autos, les motos, les ânes et les chèvres qui foncent et se bousculent. Sans compter qu'il n'y a aucun trottoir, aucun brigadier, aucune traverse pour piétons. Les rues sont dangereuses, alors Dieudonné t'accompagne. Point final!

— Chez nous, je marchais toute seule et l'école était bien plus loin.

— On ne vit plus au Québec, on vit au Burkina.

— Je ne veux pas vivre au Burkina! hurle Léda.

Elle lance sa tartine de confiture dans l'évier de la cuisine. En sortant, elle claque la porte si fort que les geckos courent se cacher derrière les tableaux.

Chaque matin, sur la route de l'école, Léda boude. Elle marche deux pas devant Dieudonné. Le jardinier l'énerve. Il est trop grand, trop maigre. Trop vieux, trop patient. Il a l'air d'un sorcier avec ses joues marquées de longues balafres*. Deux sillons traversent sa joue de haut en bas. Quand il sourit, les cicatrices rapetissent. Il sourit souvent. Ça agace Léda.

✿ **Balafre**: une sorte de tatouage que certains Africains portent au visage. Cela permet d'identifier leur ethnie, c'est-à-dire un groupe de personnes qui parlent la même langue et ont la même culture.

— On fait un concours ? propose Dieudonné. Il pointe du doigt les hautes piles
de matelas en mousse, en vente au bord de
la route.

— Le premier qui devine le nombre de
matelas empilés là-bas.

— …

— Tu veux goûter à mes mangues
séchées ?

Il offre de petits morceaux de pulpe
orangée sur sa paume ouverte. Léda
l'ignore.

— Tu veux que je te montre comment
on dit « Quelle belle journée ! » en moré ?

La fillette s'entête dans sa bouderie.
Dieudonné ne se fatigue pas de parler tout
seul.

Certains jours, Léda n'a pas envie de se
lever, pas envie de parler, même pas envie
de manger. Elle n'a qu'une envie : mordre.
Mordre ces enfants en guenilles, à la main
toujours tendue. Mordre ce satané soleil
qui la fait rôtir.

Elle a aussi envie de mordre ses parents. Pourquoi ne pouvaient-ils pas se contenter de pratiquer la médecine dans leur propre pays ? Juste dans la ville de Québec, il y a assez de malades pour les tenir occupés jusqu'à leur retraite. Pourquoi ce besoin bizarre de venir soigner des malades en Afrique ?

Quand Léda affiche sa mine la plus maussade, Dieudonné lui apporte de petits présents : un oisillon, des arachides sucrées, un éléphant miniature en bois. Elle finit par se fâcher.

— Arrête ! Je n'en veux pas de tes cadeaux stupides !

Dieudonné ne perd pas son calme.

— Qu'est-ce que tu veux ? demande-t-il.

— Je veux mon chien ! Je veux ma grand-mère ! Je veux l'hiver !

— Ils sont là. Tous.

Dieudonné se touche le front, puis la poitrine.

— L'hiver est dans tes souvenirs, ta grand-mère et ton chien occupent un coin de ton cœur.

Léda hausse les épaules.

— La pluie arrive bientôt. Il fera moins chaud. Tu verras, la saison des pluies au Burkina Faso, c'est magique.

— Je m'en fous de la saison des pluies. Je m'en fous de ton Burkina Faso !

Dieudonné sourit. Léda trépigne. Elle ne réussira donc jamais à le mettre en colère ?

— Patience. Un beau matin, tu vas te réveiller et… Oh ! Surprise ! L'Afrique sera plantée dans ton cœur, aussi indéracinable qu'un baobab.

Dieudonné sourit. Encore ! Léda a envie de lui arracher son vieux chapeau de paille et de le remplir de crottin d'âne. Elle lui décoche une dernière flèche.

— Tu es laid avec tes cicatrices.

Chapitre 4

Rose-cerise comme
une bouche de bébé

Un soir, au retour de l'école, Dieudonné entraîne Léda au marché du quartier. Elle proteste :

— Je veux rentrer à la maison !

Dieudonné fait celui qui n'entend pas. Il tire Léda entre les étalages de papayes* dodues, de bananes brunies, de poissons maigrichons et d'épices colorées. Ça sent bon, ça sent mauvais. Ça sent fort, ça sent doux. Ça sent tout.

Dieudonné s'arrête enfin près d'une vieille femme, assise devant une table basse couverte de petites piles d'arachides.

✺ **Papaye** : un fruit à la chair orange et juteuse.

La femme a un œil qui louche et une bosse dans le dos.

— Voici Awa. Elle ne parle pas français, mais elle comprend les rires et les larmes.

La vieille sourit, dévoilant ses deux dents brunes. Elle pointe son index vers la tête de la fillette et pousse une exclamation.

— Elle dit que tes cheveux ressemblent au miel qui coule, traduit Dieudonné.

Awa fait signe à Léda de s'asseoir près d'elle sur le sol poussiéreux. Elle défait le pagne* délavé qui recouvre son dos. Elle enlève sa bosse et pose un paquet tout chaud, tout doux, sur les genoux de Léda. Un bébé endormi. De minuscules bouclettes noires tire-bouchonnent sur son crâne. Son ventre, bombé et lisse, reluit comme un œuf de Pâques.

Le poupon pousse un profond soupir, remue la tête, relève lentement les paupières. Il regarde Léda droit dans les yeux. Sa bouche s'ouvre : une grotte rose-cerise. Un rire s'en échappe : un son de trompette

---

❀ **Pagne** : un morceau de tissu attaché autour de la taille qui sert de jupe. Les mamans africaines utilisent aussi le pagne pour porter leur bébé sur leur dos.

enrhumée. Cet éclat joyeux vient chatouiller Léda au plus creux de son ventre. Son rire se réveille, se dérouille, monte lentement dans sa gorge. Il roule, roule, se gonfle et éclate ! Pour la première fois depuis son arrivée en Afrique, Léda rit. Elle rit tellement qu'elle en perd son envie de mordre.

Sur le chemin de l'école, Léda et Dieudonné marchent côte à côte. Ils font des concours. Le premier qui repère une marchande avec son bac de bananes sur la tête. Le premier qui aperçoit un paysan avec six poulets accrochés au guidon de sa bicyclette. Le premier qui dit Ouagadougou six fois de suite, sans trébucher. À ce jeu, Léda gagne toujours. Elle peut même chanter à reculons le nom de sa ville : Gou-dou-ga-oua. Gou-dou-ga-oua…

Léda trouve encore le Burkina Faso aussi chaud qu'une fournaise. Elle pleure encore quand sa grand-mère appelle le dimanche matin. Elle en veut encore un peu à ses parents. Mais elle pense moins souvent au Québec. Quand elle se réveille le matin avec une boule de tristesse dans la gorge, elle s'en débarrasse en sautant sur son lit. Elle congédie sa mélancolie. Elle compte les plaisirs neufs qui colorent ses journées. Il y en a de plus en plus.

Le matin, elle se gave de papaye, une giclée de fraîcheur dans sa bouche sèche. L'après-midi, elle joue avec ses nouvelles copines : Béatrice, de Belgique ; Myriam, du Maroc et Habiba, du Liban. Comme chaque fille a sa passion, Léda va de l'une à l'autre, s'amusant à observer leur entraînement. Béatrice s'entraîne au soccer avec l'équipe des garçons. Myriam s'entraîne pour le solo de balafon* qu'elle jouera au concert de fin d'année. Habiba s'entraîne pour devenir la championne de scrabble du Liban.

Le soir, dans l'obscurité de sa chambre, Léda s'invente un rituel pour tenir à distance le mal du pays. Elle s'amuse à traquer les geckos avec sa lampe de poche.

❀ **Balafon** : Cet instrument à percussion est aussi appelé « xylophone africain ». Il est fabriqué avec des lames de bois, posées sur des calebasses séchées. On frappe les lames avec des baguettes munies d'une boule de caoutchouc.

Le moment préféré de sa journée reste cependant la visite au marché, après l'école. Pendant que Dieudonné placote avec ses copains, Léda rejoint Awa. Elles répètent chaque jour la même cérémonie. La fillette offre sa collation à la grand-mère, qui rit et tape des mains comme une enfant. La vieille déguste à petites bouchées lentes le pain au chocolat, la crème caramel ou la barre de céréales aux fruits. Elle ferme les yeux pour mieux savourer ces aliments inconnus.

Tandis qu'Awa se concentre sur sa collation, Léda fait gazouiller le bébé chocolat. Elle le porte, le berce, le cajole. Comme ses trois copines, elle aussi s'entraîne. Pas au soccer, ni au scrabble, ni au balafon. Mais à prendre soin du plus beau bébé du Burkina.

Aujourd'hui, Léda a apporté un muffin aux raisins pour Awa. Pendant que la vieille femme défait délicatement sa pâtisserie, Léda prend le poupon dans ses bras. Elle glisse sa joue contre le bedon satiné du petit et lui murmure au nombril :

— Salut toi ! Tu joues de la trompette pour moi ?

Le petit gigote. Il saisit une poignée de cheveux de Léda et tire. Il rit.

— Il me reconnaît ! Il me reconnaît ! s'exclame la fillette. Awa lève les mains en l'air en signe d'incompréhension. Léda lui redonne l'enfant et court rejoindre Dieudonné pour lui annoncer la grande nouvelle.

— Le bébé a souri en me voyant. Il m'a reconnue !

— Pas difficile. Il n'a jamais vu d'autre Blanche ! répond Dieudonné, en faisant rapetisser ses cicatrices.

Léda ne le laisse pas gâcher sa joie.

— Tu ne connais rien aux enfants, dit-elle au jardinier qui rigole de plus belle. Pour se venger, elle lui donne un léger coup de coude.

— Hé ! Attention à mon bissap ! proteste Dieudonné en protégeant sa tasse à deux mains.

— C'est quoi ?

— Tu veux goûter ?

Elle fait non de la tête. Ça ne lui semble guère appétissant.

— Mon jus préféré : le bissap. Fabriqué avec des fleurs d'hibiscus. Comme celles que tu as jetées dans la piscine.

Léda rougit. Dieudonné sourit.

— Oh ! Ton visage est aussi rouge qu'un hibiscus !

— J'avais le mal du pays, explique Léda.

— Je te crois.

— Je ne le ferai plus.

— Je te crois.

Pour faire plaisir au jardinier, elle prend une gorgée de bissap.

— Tu aimes ça ?

— Ouais…, fait-elle poliment.

Dieudonné éclate de rire.

— Je ne te crois pas.

Chapitre 5

Orange comme une robe trop grande

Le marché baigne dans la lumière rose du soleil couchant. Awa chantonne, contente d'avoir vendu presque toute sa marchandise. Assise derrière la marchande d'arachides, Léda berce le bébé chocolat, endormi dans ses bras.

Une fille, surgie de nulle part, se plante soudain devant elle. Léda est frappée par sa coiffure étrange, des minitresses raides qui lui font une tête en boule de clous. La fille porte une robe orange qui lui glisse des épaules et lui tombe aux chevilles. Elle fixe Léda en fronçant les sourcils. Puis, elle s'adresse à Awa d'un ton énervé. Comme elle parle en moré, Léda ne comprend qu'un seul mot : Nassara.

La vieille se tourne vers Léda, pointe du doigt la fille en orange et annonce : Kadi !

— Salut Kadi ! dit Léda. Tu dois être la petite-fille d'Awa. Dieudonné m'a parlé de toi.

La fillette ne répond pas. Elle tourne trois fois autour de la table de la marchande, sans quitter des yeux la Blanche.

— Je m'appelle Léda.

Kadi ne répond toujours pas.

— Est-ce que tu me comprends ? Dieudonné m'a dit que tu parlais français.

La fille s'avance et déclare, d'un ton agressif :

— Tu ne sais pas comment tenir un bébé.

Elle se penche au-dessus de Léda et lui enlève le poupon des bras. Réveillé en sursaut, le petit se met à pleurnicher.

Awa sermonne Kadi qui écoute d'un air bougon, les yeux fixés sur ses orteils poussiéreux. « Avec ses tresses dressées en pics pointus sur sa tête, elle a l'air d'un porc-épic, pense Léda. Et elle agit comme un porc-épic. »

Kadi pose l'enfant sur les genoux de sa grand-mère, puis décoche une dernière flèche à Léda :

— Nassara, mon frère n'est pas une poupée.

Elle s'éloigne dans l'allée en donnant de violents coups de pied dans sa robe-tente.

Désormais, lorsque Léda voit Kadi près de la table d'Awa, elle se garde bien d'approcher la marchande d'arachides. Elle n'ose plus.

— Dieudonné, est-ce que Kadi se comporte toujours comme un porc-épic ?

Elle se hérisse parfois, mais tu sais, elle ne pique pas.

— Qu'est-ce qu'elle a contre moi ?

Le jardinier soupire.

— Kadi n'a pas de robe neuve ni de pain au chocolat, pas de jeux ni de bijoux. Elle se pense pauvre alors qu'elle est pourtant riche. Elle a sa santé, du riz tant qu'elle en veut, son petit frère pour la faire rigoler et sa grand-mère pour la consoler.

— Mais pourquoi Kadi ne veut-elle pas me laisser jouer avec son frère ? J'en prends pourtant bien soin.

— Si tu essayais de l'apprivoiser ? suggère Dieudonné.

Léda grimace. Apprivoiser ce porc-épic ? Qui a envie de fréquenter cette fille, aussi rugueuse que son frère est doux ? Pourtant, elle n'a pas le choix. Pour jouer avec le bébé chocolat, elle devra amadouer Kadi.

Chapitre 6

Argenté comme le baobab

Fini, les examens ! Yé ! Plus que trois jours avant la fin des classes ! Yé ! Plusieurs élèves de la classe de Léda sont déjà rentrés dans leur pays pour les grandes vacances. Ceux qui restent ne tiennent plus en place. Ça babille sans arrêt, ça ricane pour rien.

— Sortez vos tablettes à dessin, nous allons dans la forêt ce matin, annonce Mme De Beck, la professeure.

Lorsque l'autobus s'arrête à la barrière blanche qui marque l'entrée de la forêt, les élèves s'éparpillent comme des moineaux excités.

Léda ne s'énerve pas. Elle connaît bien cette forêt, située non loin du marché de son quartier. Elle y vient le dimanche faire du vélo avec son père. Toutefois, aujourd'hui, la professeure les entraîne dans un sentier qu'elle n'a jamais pris.

Il fait plus frais dans la forêt, mais tout y est sec, brûlé par le soleil. Les broussailles couleur sable, les plaques d'herbe brunie, les arbres dépouillés, toute la végétation a soif. Elle appelle la saison des pluies.

Léda et ses trois copines marchent à la queue leu leu dans le sentier jonché de feuilles mortes. Habiba du Liban avance lentement, prenant bien soin de ne pas salir sa nouvelle robe blanche à cœurs roses. Elle examine les alentours, puis déclare d'un ton dédaigneux :

— J'ai déjà vu mieux comme forêt.

Léda s'arrête net au milieu du sentier. Elle vient de l'apercevoir. Il se dresse au fond de la clairière, massif, magnifique. Avec son tronc ventru, ses branches nues et tordues, on dirait un grand-père ratatiné mais majestueux. Léda frissonne malgré la chaleur étouffante. Personne ne lui a dit, mais elle le sait déjà : c'est un baobab. Son premier baobab.

Mme De Beck les fait asseoir en cercle autour de l'arbre.

— Nous allons dessiner ce baobab. Pour les Africains, c'est un arbre sacré.

— Il est gris, gras, ridé. On dirait un éléphant, affirme Béatrice de Belgique.

La prof décide d'ignorer cette remarque.

— Les baobabs vivent très vieux. Celui-ci doit avoir plusieurs centaines d'années.

Habiba hausse les épaules.

— Dans mon pays, on a des cèdres de 3 000 ans, dit-elle. Ils sont bien plus grands, bien plus élégants que ça.

Au lieu d'écouter la leçon, Béatrice joue au soccer avec un caillou. Léda s'avance discrètement vers le baobab. Elle enjambe ses racines enchevêtrées qui sortent du sol. Elle caresse du bout des doigts son tronc argenté. Elle s'étonne de sentir l'écorce si lisse. « C'est un roi », pense-t-elle.

— Les branches tordues du baobab ressemblent à des racines, poursuit l'institutrice. Une légende raconte d'ailleurs qu'il aurait été planté la tête en bas.

— C'est elle qu'on devrait planter la tête en bas, chuchote Béatrice.

Myriam du Maroc éclate de rire. Mme De Beck lui jette un regard sévère.

— À la saison des pluies, le baobab se couvre de feuilles. Les Africains utilisent ses feuilles pour faire des sauces.

— Pouah! lâche Habiba.

Myriam pouffe encore de rire. Léda ne voit pas ce qu'il y a de drôle. Le baobab est trop vieux, trop noble pour qu'on s'en moque. Pourquoi ses copines, d'habitude calmes, s'énervent-elles à ce point?

— Saviez-vous que le cèdre du Liban est le seul arbre que Jésus a planté de ses mains? demande Habiba.

Personne ne l'écoute. Vexée, elle s'assoit à l'écart pour boire son jus de raisin.

Léda colle son oreille contre le tronc du baobab. Elle entend des murmures flotter autour de l'arbre. Des voix venues de loin, des voix d'hommes qui parlent une langue inconnue, des rires bruyants, des rires comblés. Léda n'a pas peur. Elle voudrait du silence. Elle voudrait comprendre.

— Le baobab donne un fruit qu'on appelle le « pain de singe », continue Mme De Beck. On peut le manger en…

Les fous rires des filles enterrent les explications de la prof. Les garçons sautent sur place et se tripotent les aisselles, fiers de leurs singeries. Les calepins à dessiner gisent dans la poussière, abandonnés.

Mme De Beck frappe dans ses mains et attend que les élèves se calment avant de poursuivre son cours.

— Le baobab est une sorte d'arbre-bouteille. Il peut emmagasiner plus de 120 000 litres d'eau. Son tronc épais agit comme une éponge ; quand il pleut, l'arbre absorbe l'eau et le tronc gonfle. En saison sèche, l'arbre utilise l'eau et le tronc maigrit.

— Un arbre à la diète, ricane Habiba.

Béatrice ramasse un caillou pointu et s'approche du baobab. Elle gratte le bois fibreux avec son caillou.

— Peuh ! Pas la moindre petite goutte d'eau ! Tout à fait ordinaire ce tronc !

En revenant vers le groupe, Béatrice trébuche sur une racine et s'étale de tout son long. En tombant, elle accroche Habiba qui renverse son jus de raisin sur sa robe neuve. Les filles s'activent à consoler la

Belge, qui saigne du nez, et la Libanaise, furieuse de voir sa robe tachée.

Léda ne s'occupe pas de ce faux drame. Elle observe le baobab du coin de l'œil. Ses branches frémissent. Pourtant, il n'y a pas de vent dans la forêt. La fillette a l'impression que le vieux baobab ricane, qu'il se moque à son tour.

Chapitre 7

Vert tendre comme
les feuilles neuves

Le jour même où Léda tombe en vacances, la saison des pluies s'abat sur la ville. Dans les jours qui suivent, tout se transforme. Les nuages se bousculent dans le ciel, enfin gris. Les arbres s'habillent de feuilles neuves d'un vert tendre. Les fleurs s'étirent. Le maïs sort de terre. Les caniveaux débordent. Des ruisseaux naissent dans les rues. Les enfants sautent dans les flaques d'eau. Le vent est plus frais, les journées moins chaudes. En juillet, le Burkina Faso change de couleur. Le vert s'épanouit et s'étale.

Léda se lève chaque matin en sifflotant. Ses vacances africaines lui plaisent. Elle profite de ses longues heures de congé

pour lire dans le hamac. Elle aime les soirées film-et-popcorn chez ses copines, les cours de tennis avec sa mère, les séances d'observation de termites avec son père.

Depuis quelque temps, Léda s'amuse avec le personnel de maison. Elle apprend à faire de la purée de mangues avec la cuisinière. Elle montre au gardien comment jouer aux dames. Parfois, quand elle déborde de bonne humeur, elle rend visite à ses parents à la clinique médicale où ils travaillent. Ça leur fait toujours grand plaisir.

Aussi souvent qu'elle le peut, Léda entraîne Dieudonné au marché. Le jardinier bougonne un brin — j'ai du travail moi! —, mais elle sait qu'il se réjouit de la voir enjouée.

Toutes les marchandes connaissent maintenant la fillette blonde fascinée par le bébé chocolat. Elles l'interpellent au passage, l'invitent à venir admirer leur marchandise. Léda les salue de la main sans s'arrêter. Elle file droit vers son but : la table de la marchande d'arachides. La vieille Awa l'accueille toujours avec le même sourire édenté, et le bébé chocolat, avec le même rire de trompette.

Léda ne se fatigue pas de jouer avec lui. Elle lui a appris à se tenir debout en s'accrochant à ses doigts. Elle lui enseigne maintenant à taper des mains. Sa plus grande joie ? Faire le tour du marché, l'enfant fixé sur son dos avec le pagne d'Awa. Ça lui donne l'impression d'être une Africaine. Le sourire déployé, le torse bombé, Léda se gonfle de fierté.

Elle se prend à rêver que le poupon est son petit frère. Tout à l'heure, elle rentrera à la maison avec lui. Elle lui fera manger sa purée à la petite cuillère, puis l'étendra dans sa couchette à côté de son lit. Si elle se réveille au milieu de la nuit, elle n'aura qu'à tendre la main pour caresser les bouclettes en tire-bouchon. Il n'y aurait pas de meilleur remède contre son mal du pays.

« Si Awa mourait, mes parents pourraient adopter le bébé, songe Léda. Mais il faudrait aussi adopter Kadi... Et si elles mouraient toutes les deux dans un accident d'auto ? Impossible. Elles n'ont pas d'auto... » Léda lève les yeux et voit Awa au loin, endormie devant ses piles d'arachides. Le remords l'envahit. Elle se pince le bras pour se punir d'avoir eu d'aussi mauvaises pensées.

Dès qu'elle voit la petite salopette violette, accrochée à la devanture du kiosque de la marchande de vêtements, Léda sait qu'elle l'achètera. Cette salopette sera parfaite pour son poupon préféré. Après tout, le plus beau bébé du Burkina devrait porter autre chose qu'un bout de pagne défraîchi.

Léda apporte ses économies au marché. Elle négocie le prix avec la marchande, sans l'aide de Dieudonné. Quand elle glisse le vêtement dans son sac à dos, elle a déjà en tête son nouveau plan : habiller de neuf le bébé et aller le présenter à ses trois copines. Reste un obstacle. Ou plutôt deux. Comment convaincre Awa ? Comment déjouer la surveillance de Kadi ?

Car elle rôde souvent dans les parages, Miss Porc-épic. Elle a toujours sa coiffure en boule de clous et son éternelle robe trop grande, trop longue. Les jours où Kadi aide sa grand-mère, Léda ne s'approche pas.

Toute la semaine, elle cherche une tactique pour apprivoiser Kadi. Finalement, un matin où elle se désole de ne pouvoir jouer avec le bébé chocolat, Dieudonné lui souffle une idée.

— La pomme que tu as apportée, c'est pour ta collation ou pour Awa ?

— Comment pourrait-elle manger une pomme ? Elle n'a que deux dents !

— Je te parie que Kadi n'a jamais mangé de pomme.

— Jamais ? répète Léda, incrédule.

— Les pommiers ne poussent pas au Burkina. Awa n'a pas assez de sous pour acheter les pommes qui arrivent de France par avion.

Léda contemple sa pomme. Elle frotte le fruit contre son t-shirt, le fait reluire. Elle hésite. Comment réagira Miss Porc-épic ? Tant pis, elle n'a rien à perdre.

Elle s'avance vers Kadi, assise devant la table couverte d'arachides.

— Salut.

Kadi ne daigne même pas jeter un coup d'œil dans sa direction. Léda pose la pomme sur la table puis rejoint Dieudonné, assis près de la marchande de bissap.

Elle s'assoit au pied du jardinier, se croise les doigts et attend. Cinq minutes plus tard, Dieudonné se penche vers elle et murmure :

— Ta patience a porté des fruits.

Léda se lève et regarde la marchande d'arachides. Awa a maintenant le bébé chocolat sur les genoux. Kadi a disparu. La pomme aussi.

— Youpi ! s'écrie Léda en sautillant sur place.

Sa première victoire. Pas une grande victoire certes, mais un premier pas sur le sentier pour apprivoiser Kadi.

Elle se tourne vers Dieudonné et lui déclare solennellement :

— Tu es le plus gentil, le plus intelligent, le plus patient, le-plus-tout !

Le jardinier lui fait un clin d'œil et tend sa paume ouverte :

— Moi aussi, je veux une pomme !

Chapitre 8

Rose comme les bonbons

Trois jours d'affilée, Léda apporte une pomme à la petite-fille d'Awa. Le premier jour, Kadi fait semblant de ne pas remarquer le cadeau. Le deuxième jour, elle ne se retourne pas lorsque la jeune Blanche s'approche. Le troisième jour, quand Léda pose la pomme sur la table, Kadi lui tend en silence un petit sac d'arachides.

Au matin du quatrième jour, Léda trouve Kadi seule derrière la table basse de la marchande d'arachides. Enveloppé dans un pagne, le bébé chocolat dort dans son dos.

— Où est Awa ? demande Léda.

— Elle a le palu.

— Le palu ?

La fille aux tresses en pics fixe Léda comme si elle était stupide. Elle répète le mot en prononçant chaque syllabe.

— Le pa-lu. Comme dans *paludisme**. Comme dans *malaria**. Tu ne connais pas la malaria, Nassara ? Tu n'as pas appris ça dans ta grande école ?

Léda rougit. La pomme-cadeau a réussi à faire parler Kadi mais ne l'a pas complètement adoucie.

« Bien sûr que je connais la malaria », pense Léda. Tous les soirs, dès que le soleil se couche, sa mère lui répète la même rengaine : « As-tu mis de la crème anti-moustique ? En Afrique, une simple piqûre de moustique peut rendre très malade, peut même causer la mort. »

— Si c'est grave, mes parents peuvent venir voir Awa. Ils sont médecins, offre Léda.

Kadi hausse les épaules.

☸ **Paludisme** : autre nom donné à la malaria. Le palu-disme tue plus de 3 000 enfants africains par *jour*.

☸ **Malaria** : cette maladie est causée par la piqûre d'un moustique. Les symptômes de la malaria sont la fièvre, la diarrhée, les vomissements.

— Nous, on ne fait pas comme les Blancs. On ne court pas chez le médecin au moindre bobo. Le palu, on apprend à vivre avec...

Léda meurt d'envie de répliquer avec la même impolitesse. Mais ce n'est pas le moment de contrarier Kadi. Elle attend depuis trop longtemps l'occasion de lui parler en tête-à-tête.

Elle avale donc sa frustration et s'approche de la petite-fille d'Awa. Elle pose une pomme sur la table. Kadi pousse un sac d'arachides vers elle, puis lance :

— La pomme d'hier était moins sucrée.

— Ah ! Je vais tâcher de choisir les plus rouges, répond Léda.

Elle ouvre le sac, croque une arachide et juge que l'instant est propice pour tenter sa démarche.

— Kadi, aimes-tu les Barbie ?

— C'est quoi des Barbie ?

— Des poupées.

Kadi prend un air hautain.

— Des poupées... pfttt. M'intéresse pas.

— Qu'est-ce qui t'intéresse ?

Kadi la dévisage d'un air méfiant.

— Pourquoi tu me demandes ça ?

— Pour savoir, dit patiemment Léda.

— J'aime les bijoux.

— Les bijoux. D'accord ! Si je t'apporte des bijoux, qu'est-ce que tu me donnes en échange ?

Kadi lève les mains en l'air.

— Je n'ai rien qui intéresserait une Nassara !

— Tu pourrais me laisser le bébé. Pour une journée, répond Léda tout bas.

Kadi grimace.

— Qu'est-ce que tu lui trouves tant à mon frère ?

— Il est drôle. Il est doux.

Kadi fronce les sourcils.

— Tu ne saurais pas comment t'en occuper.

— Dans mon pays, je gardais souvent des enfants, affirme Léda d'un ton qui se veut rassurant, en espérant que Kadi n'a pas détecté son mensonge.

Le bébé chocolat pousse un gémissement dans son sommeil. Léda admire ses minuscules menottes qui s'entrouvrent et se referment. Elle offrirait bien à Kadi un camion entier de pommes pour que le poupon dorme contre son dos à elle.

— Qu'est-ce que tu ferais avec lui toute une journée? demande la sœur de l'enfant.

— Je lui chanterais des chansons. Je le promènerais.

— Où ça?

— Oh! pas loin! Ici, au marché, s'empresse d'ajouter Léda.

— Toute une journée, c'est trop. Ma grand-mère s'inquiéterait.

— On n'a pas besoin de lui dire.

— …

— Une demi-journée alors? supplie Léda.

Kadi ne répond pas. D'une pichenotte, elle défait une pile d'arachides. Puis, elle rempile, une à une, les arachides éparpillées. Léda attend, les doigts croisés derrière le dos. Sans lever les yeux de son travail de reconstruction, Kadi annonce:

— J'aime aussi les bonbons roses.

Léda saute sur cette chance inespérée.

— Ah oui! Les bonbons! Je t'en apporterai aussi.

Sentant Kadi au bord de céder, elle parle très vite :

— Alors ça te va ? Dimanche matin ? Rendez-vous, ici, avec ton frère ?

— Mmm…, marmonne Kadi, toujours absorbée par sa pile d'arachides.

Léda n'ose pas bouger, n'ose pas espérer. « Mmm », est-ce que ça veut dire oui ?

La fillette relève la tête et grogne :

— Ne reste pas plantée là ! Tu m'empêches de vendre mes arachides.

Léda jette un dernier regard au bébé chocolat — un ange endormi — et part au petit trot. Vite ! Vite ! Elle doit s'éloigner au plus vite avant d'éclater de joie devant Kadi.

Un homme maigre comme un bâton de berger se hâte dans les sentiers de la forêt. Il ne veut pas rater ce spectacle, qui n'arrive qu'une fois par année.

Lorsqu'il aperçoit le baobab bedonnant, l'homme s'arrête net. Il écarquille les yeux. Il murmure un premier « Oh ! » ému. Une exclamation de ravissement.

Suivi d'un deuxième « Oh ! » plus intense. Une exclamation d'émerveillement.

La lune, aussi ronde qu'une roue, diffuse sa lumière argentée sur le baobab. Transformé par les pluies, l'arbre n'est plus sec, ni nu. Des feuilles vertes habillent ses branches, lui donnent l'air jeune, pimpant. De larges fleurs blanches décorent ce fouillis de verdure. Ces fleurs à cinq pétales ne produisent du nectar qu'une seule nuit par année. La nuit du grand ballet des chauves-souris.

Une odeur sucrée flotte dans l'air. Une brise délicate fait palpiter le feuillage. L'homme entend des voix étouffées, des rires flotter autour de l'arbre. Les voix de ses ancêtres. Il y a très longtemps, quand Ouagadougou n'était encore qu'un village, son arrière-arrière-grand-père venait s'asseoir au pied du baobab. Dans l'ombre rafraîchissante de l'arbre-bouteille, il discutait pendant des heures avec ses frères, ses copains et ses voisins.

L'homme s'accroupit pour mieux admirer le spectacle. Ça fourmille dans le feuillage du baobab. Des dizaines de chauves-souris virevoltent d'une fleur à l'autre, pressées, gracieuses et gourmandes. Elles transportent le pollen, se soûlent de nectar. Elles se frôlent et s'entrecroisent, sans jamais se frapper. On dirait qu'elles ont répété leur chorégraphie toute l'année en prévision de cette nuit magique.

Envoûté par cette scène, l'homme en oublie la douleur dans ses vieux genoux attaqués par les rhumatismes. Il se sent tout petit devant cette nature féérique. De ses doigts brun café, il écrase une goutte qui roule sur sa joue. « Tiens, se dit-il tout étonné. La beauté peut donc faire pleurer ? »

Chapitre 9

Turquoise comme des perles de plastique

Dimanche matin, Léda se réveille avant les vautours, avant le chant mélancolique venu de la mosquée. Pendant que ses parents font la grasse matinée, elle dévalise l'armoire à bonbons. Elle jette pêle-mêle dans un grand sac des chocolats fourrés au caramel, des pastilles à la menthe, des bâtons de réglisse, des jujubes — beaucoup de jujubes. Léda secoue le sac pour bien mélanger le tout. De cette façon, Kadi risque moins de remarquer l'absence de bonbons roses.

Pour les bijoux, elle a fouillé dans ses affaires mais n'a trouvé qu'une vieille chaîne en argent terni. Lorsque ses parents boivent leur café sur la terrasse, Léda en profite pour se glisser dans leur chambre. Dans le coffre à bijoux de sa mère, elle pique un collier de perles de plastique turquoise et deux bracelets. Elle choisit les plus petits, les moins jolis, en espérant que leur disparition passera inaperçue.

Dans son sac à dos, elle range les bonbons, les bijoux, la nouvelle salopette violette, quelques provisions pour la journée : une bouteille d'eau, deux croissants pour elle et des bananes pour le poupon.

Après le petit-déjeuner, le père de Léda la conduit en voiture chez Habiba du Liban.

— Je viens te chercher à quelle heure ? demande-t-il.

— Pas avant quinze heures. On va au tennis, puis à la piscine.

Son père lui souffle un bisou. Il attend que le gardien lui ouvre le portail, puis repart dans un nuage de poussière. Dès que la voiture a tourné le coin de la rue, Léda lance au gardien :

— Je vais à côté chercher ma copine Myriam. On revient dans dix minutes.

Elle ressort sans lui donner le temps de répondre. Au pas de course, elle se rend au marché où elle trouve Kadi à son emplacement habituel. Comme la fillette a congé le dimanche, il n'y a pas de piles d'arachides sur sa table, seulement le bébé chocolat. Nu comme une mangue, il agite les bras et roucoule. Léda contemple ses doigts miniatures, ses pieds potelés. Elle a envie de bécoter cette peau de chocolat velouté.

Les filles se regardent, indécises, gênées.

— Est-ce qu'Awa se sent mieux ?

— Un peu. Elle est encore faible.

Léda sort le sac de bonbons et de bijoux. Elle le pose sur la table, à côté du biberon de l'enfant.

Cette fois, Kadi ne fait pas semblant d'ignorer le cadeau. Elle plonge les mains dans le sac, sort le collier turquoise et l'enroule autour de son cou. Elle se tourne vers Léda et lui tend le biberon rempli d'eau et une longue bande de tissu jaune délavé.

— Tu sais comment attacher le pagne ? demande-t-elle, moqueuse.

— Oui oui, s'empresse de répondre Léda, en s'asseyant à côté du bébé.

Kadi tripote le collier, se balance sur un pied, puis sur l'autre. Elle meurt d'envie de continuer son inspection du sac, mais ne veut pas avoir l'air gourmande devant Léda.

— Je vais aller faire un tour. Tu restes autour du marché ?

— Oui, oui, promet Léda.

— Rendez-vous ici, à midi. J'ai dit à ma grand-mère que je ramènerais mon frère tôt.

— D'accord, répond distraitement Léda, déjà occupée à enrouler le poupon dans le pagne.

Kadi s'éloigne en se dandinant comme une pintade, les bracelets tintant à ses poignets et la bouche pleine de bonbons.

Installé sous un énorme parasol en paille, l'homme maigre comme un bâton de berger boit une tasse de bissap. Il aime le marché du dimanche. Pas aussi bruyant, pas aussi grouillant. Les commerçants crient un peu moins, les clients flânent un peu plus.

De son regard d'aigle, l'homme remarque tout de suite l'anormal, l'insolite.

Comme la fillette en robe orange qui traîne dans les allées. Où a-t-elle pris ce collier turquoise, trop luxueux pour elle ? Elle plonge la main dans son sac, retire une poignée de jujubes qu'elle enfourne d'un seul coup. Elle s'étouffe, crache et tousse. « Pas bon signe », pense l'homme.

Un peu plus loin, il remarque l'autre fillette aux cheveux couleur miel. Elle tente d'attacher un enfant africain dans son dos. Le pagne s'ouvre, le bébé glisse. Elle recommence plusieurs fois, n'y arrive pas. « Pas bon signe du tout », se répète l'homme.

Ses doigts brun café palpent nerveusement les morceaux d'or au fond de sa poche. L'homme lève la tête vers le ciel. Il hume l'air à plein nez. Il sent l'odeur de la pluie toute proche. Il sent aussi une autre odeur, proche du moisi. L'odeur du malheur.

Chapitre 10

Jaune comme un vieux pagne

Léda n'a pas réussi à fixer le poupon sur son dos. Elle doit se résoudre à le tenir dans ses bras, comme un trésor. Il bave dans son cou. Ça la chatouille.

Elle traverse les allées du marché en gardant l'œil ouvert pour une robe orange. À la sortie du marché, elle se rend compte qu'elle a oublié son sac à dos sur la table d'Awa. « Tant pis, je le reprendrai au retour », se dit Léda. Elle ne veut pas retourner et prendre le risque de croiser Kadi.

Avant même d'entrer chez Habiba du Liban, elle entend la musique enjouée du balafon de Myriam du Maroc. Installées au jardin, ses copines se concentrent sur leur passion. Béatrice de Belgique nettoie ses souliers de soccer tandis qu'Habiba joue une partie de scrabble contre elle-même.

Léda pose l'enfant sur une chaise longue. Les filles se regroupent autour d'elle.

— C'est ça, ta surprise ? lâche Habiba, avec une moue déçue.

— Il sort d'où ce têtard ? fait Béatrice, d'un air moqueur.

— Tes parents l'ont adopté ? demande Myriam, étonnée.

Pour la première fois, Léda remarque à quel point le pagne jaune est vieux et sale. Si seulement elle n'avait pas oublié son sac à dos au marché, elle aurait pu présenter le bébé sous un jour plus élégant, vêtu de sa salopette violette.

Ses copines examinent le petit en silence. Elles ne lui sourient pas. Ne lui font pas de guili-guili. Ne demandent pas à le prendre. Les doigts dans la bouche, le bébé contemple ces visages pâles d'un air grave.

— Vous en avez déjà vu un plus beau ? demande Léda, impatiente.

— Il ne porte pas une vraie couche. Il pourrait te pisser dessus, décrète la Belge.

— Il me semble qu'il pue un peu, déclare la Libanaise.

— Il n'a pas l'air très joyeux…, dit la Marocaine.

Léda a envie de les mordre.

— Vous êtes jalouses, lâche-t-elle, d'un ton dégoûté.

— Mais non, c'était juste pour te taquiner, proteste Béatrice.

— Te fâche pas pour ça, plaide Habiba.

Myriam glisse un doigt sur le bras du bébé.

— Comme il a la peau lisse.

— Je n'ai jamais touché rien d'aussi doux, jure solennellement Léda.

Myriam brandit son balafon.

— Je vais lui jouer un morceau, peut-être que ça le fera sourire.

Avec ses baguettes, elle frappe les lames de bois lentement, délicatement. Le petit ouvre grands les yeux. Myriam joue plus fort, plus vite. La mélodie se précipite, le rythme part en course. L'enfant frétille des pieds et des mains. Son rire de trompette fuse.

— T'as réussi, Myriam ! Il rit ! s'exclame Léda.

— Venez faire une partie de scrabble les filles, suggère Habiba.

— À condition que je puisse me servir du dictionnaire, répond Béatrice.

Myriam pose ses baguettes.

— Me voilà !

Léda n'arrive pas à croire que ses copines se désintéressent si vite du bébé chocolat.

— Il faut que je retourne chercher mon sac à dos au marché, annonce-t-elle à la ronde.

Elle espère qu'au moins l'une de ses copines proposera de l'accompagner. Mais elles sont déjà concentrées sur leur jeu. Déçue, Léda prend le petit et va à la cuisine. Elle tend le pagne jaune à la cuisinière qui prépare le repas du midi.

— Vous pouvez m'aider ?

En un tour de main, la femme enroule le poupon dans le morceau de tissu et l'accroche solidement au dos de Léda. Cette dernière remercie trois fois la cuisinière amusée, qui n'a jamais vu une fillette blanche porter au dos un bébé africain.

— C'est à qui ce môme ?

Léda ne répond pas. Elle part sans dire au revoir à ses copines. Dans la cour arrière, les robes d'Habiba se balancent sur la corde à linge. Léda décroche la plus jolie, la blanche avec des cœurs roses. En s'étirant les bras derrière le dos, elle recouvre le vieux pagne jaune de la robe blanche. Pour que ça tienne solidement, elle enfonce les bouts de la robe dans les poches de ses shorts. Léda tourne la tête vers le bébé chocolat et lui annonce d'une voix forte :

— Tu es beau comme un cadeau.

Le petit lâche son rire de trompette enrhumée.

Léda parade dans les rues du quartier. Dans son dos, l'enfant babille, gigote. Elle lui invente des chansonnettes avec des mots simples et des rimes bébêtes. Elle essaie de lui faire dire « Léda ». Lééééé… daaa. Lééééé… daaa. Le bébé gargouille : ba… ba… ba… Les gardiens postés devant les villas sourient à leur passage.

Après une demi-heure de ce va-et-vient, le frère de Kadi se met à pleur-nicher. « Il doit avoir faim », se dit Léda.

Elle retourne vers le marché d'un pas accéléré. À l'emplacement de la marchande d'arachides, une mauvaise surprise l'attend : la table d'Awa est vide. Disparu, le sac à dos. Disparu aussi, le biberon.

Il doit être à peu près midi, car le soleil cogne dur. Le petit se fait lourd. Il miaule comme un chaton au ventre vide. Léda aussi a faim. Et soif. Ses cheveux lui collent sur le front, dans le cou. Elle sent soudain une coulée chaude lui glisser dans le dos. Elle détache la robe à cœurs roses, défait le pagne souillé de pipi et le jette sous la table. Léda enveloppe le poupon dans la robe d'Habiba. Elle sait qu'elle n'arrivera pas à le remettre dans son dos. Elle devra le porter dans ses bras. Rien que d'y penser, elle se sent fatiguée. Peut-être pourrait-elle demander l'aide de Kadi ? Mais le marché est presque désert à une heure aussi chaude. Aucune robe orange en vue. Même la marchande de vêtements d'enfants, que Léda aime bien, a pris congé aujourd'hui.

Léda demande l'heure à un passant. Onze heures. Kadi a fixé le rendez-vous à midi. « Encore une heure d'attente », pense Léda, découragée.

Le bébé pleure de plus en plus fort. La fillette a peur que ses cris attirent l'attention des passants. On pourrait lui demander ce qu'elle — une Nassara ! — fait avec un bébé africain. On pourrait la traiter de voleuse d'enfants.

Serrant le poupon contre sa poitrine, elle se met à la recherche d'un endroit plus tranquille. Elle quitte le marché et s'avance dans une petite rue de côté. Elle aperçoit au loin la barrière blanche qui marque l'entrée de la forêt. « J'aurais dû y penser avant ! s'exclame Léda. Dans la forêt, il y aura plus d'ombre et moins de monde. »

Sitôt franchie la barrière, elle prend à gauche, dans le sentier où Mme De Beck a entraîné la classe il y a quelques semaines.

Léda ne reconnaît pas tout de suite l'arbre qui se dresse au fond de la clairière. Ce baobab a des feuilles. Des coquilles ovales et poilues pendent de ses branches. « S'agit-il du *pain de singe* dont parlait la prof ? » se demande Léda. Elle s'approche, redécouvre le tronc lisse et argenté, les racines enchevêtrées. Elle a l'impression de retrouver un ami.

Chapitre 11

Mauve comme une sandale dans la boue

Léda essaie de bercer le bébé. Il donne des coups de pied et pousse des bêlements de mouton malade. Elle le pose sous le baobab, entre deux grosses racines. Ça lui fait une sorte de nid.

Deux chiens font irruption au bout du sentier. Le plus petit saute sur le plus gros. Ils se mordent férocement. Leurs jappements aigus résonnent dans la forêt. Le bébé braille encore plus fort. Léda couvre ses oreilles de ses deux mains. Finalement, le gros chien s'enfuit, la queue entre les jambes, l'oreille ensanglantée.

Le petit chien s'approche lentement du baobab. Il est squelettique, avec un pelage

couleur prune et une gueule d'hyène*.
Il retrousse ses babines et grogne. Léda
prend le nourrisson dans ses bras et le serre
contre elle.

L'enfant crie. Le chien jappe. Léda fré-
mit. Elle cherche des yeux une grosse
roche, ne trouve pas. Elle ramasse une poignée de gravier et la lance en direction
de la bête. Il recule un peu, aboie de plus
belle.

Léda remet le frère de Kadi dans son
nid de racines. D'une main tremblante,
elle enlève sa sandale mauve et la lance de
toutes ses forces. La sandale frappe le
derrière du cabot. L'animal cesse d'aboyer
et disparaît dans les buissons. La fillette
reprend son souffle. Ses mains tremblent.
Elle a le toupet trempé de sueur.

Le petit pleure toujours. Léda s'assoit
près de lui, appuie son dos contre le baobab et ferme les yeux. Elle a mal à la tête.
Ah ! comme elle aurait envie d'enlever son
t-shirt qui pue le pipi ! Ah ! comme elle

❄ **Hyène** : un animal sauvage qui se nourrit surtout
d'animaux morts. Les hyènes dégagent une mauvaise
odeur parce qu'elles mangent de la viande pourrie.

aurait envie d'un grand verre de limonade glacée !

Le petit agite les bras, les jambes. Il hurle de colère, le menton luisant de bave, les joues couvertes de morve. Où est passé le plus beau bébé du Burkina ? « Celui-ci est presque laid », s'étonne Léda. Sur la robe d'Habiba, les cœurs roses virent au brun. Elle déroule le vêtement. Un liquide couleur rouille coule entre les jambes du poupon.

Léda tente d'essuyer le caca. Elle n'arrive pas à bien nettoyer le nourrisson. Des gouttes de sueur lui tombent dans les yeux. Elle enveloppe de nouveau le petit dans un pan de robe encore sec. Il hurle comme s'il avait des épines aux fesses. Léda n'en peut plus. Elle a peur de se mettre à crier elle aussi.

Désespérée, elle se lève et tourne en rond autour du baobab. Elle remonte un peu le sentier, redescend.

— Il y a quelqu'un ? Il y a quelqu'un ?

Pas de réponse. Personne. Personne pour lui dire comment apaiser un enfant affamé. Personne pour lui dire comment consoler un poupon inconsolable.

Si seulement sa mère était ici. Elle peut calmer un bébé braillard en un rien de temps. Si seulement elle avait le biberon. Un bout de banane. Un balafon même.

Tout à coup, Léda entend le tonnerre rouler au loin. Elle lève les yeux et pousse un cri d'angoisse devant le ciel soudain si sombre. L'orage ! L'orage arrive ! Léda panique. Elle connaît maintenant les tempêtes de pluie de Ouagadougou. Le vent qui se déchaîne, qui arrache les branches d'arbres. La pluie drue, parfois aussi violente qu'un fouet. Elle doit mettre le petit à l'abri au plus vite. Mais comment ?

Il gigote tellement qu'elle ne réussit même pas à le prendre. Comment pourrait-elle refaire avec lui le trajet jusqu'au marché ? Il est trop lourd, elle est trop fatiguée. Elle n'y arrivera pas. Ils seront pris au cœur de l'orage. Léda jette un œil autour d'elle, affolée. Quoi faire ? Elle tente désespérément de ne pas éclater en sanglots.

Un deuxième coup de tonnerre la fait sursauter. Elle ne peut plus attendre. Elle doit décider. Elle regarde le poupon, bien calé dans son nid de racines. Elle se penche vers lui et crie, par-dessus ses hurlements :

— Je vais chercher de l'aide. Je reviens vite. Très très vite.

À reculons, Léda s'éloigne du baobab. Elle scrute le sentier. Personne. Elle se retourne et crie, en direction du tout-petit :

— Je reviens. Dans cinq minutes. Cinq petites minutes.

Elle se met à courir. Son pied nu la fait boiter. Elle s'arrête, enlève sa sandale et la lance dans l'allée derrière elle. La sandale mauve atterrit au milieu d'une flaque de boue.

Léda reprend sa course folle. Elle ne sent pas les cailloux qui meurtrissent la plante de ses pieds. Elle court avec une seule pensée à l'esprit : trouver Kadi.

Abandonné sous l'arbre, le bébé chocolat continue de hurler, les poings serrés, la bouche grande ouverte. Le baobab crispe son écorce, raidit ses branches. Les milliers de gouttes d'eau emmagasinées dans son tronc se teintent d'un bleu triste. Les cris de l'enfant résonnent jusque dans ses racines. L'arbre a mal de ne pas pouvoir le consoler.

Si le baobab avait des bras, il sait exactement ce qu'il ferait : il bercerait le bébé.

Au bout de dix minutes, l'enfant n'a plus la force de crier. Il hoquette, gémit et ferme les yeux. Il ne voit pas les longs doigts brun café qui s'approchent de son visage. Une main essuie les larmes, l'autre glisse un morceau d'or dans la minuscule bouche qui se referme aussitôt. Hoquets et sanglots s'arrêtent comme par magie. Le poupon suce goulûment son or.

L'homme désentortille le petit de la robe souillée. Il enlève sa chemise, y emmaillote le poupon puis le cale contre sa poitrine. Le bébé appuie sa joue contre la peau fraîche de l'homme et s'endort d'un seul coup, la bouche pleine.

Le baobab bedonnant les regarde s'éloigner, l'enfant rond assoupi contre l'homme maigre. « Parfois, la vie arrange bien les choses, pense l'arbre. Ces grandes mains ont été moulées dans la tendresse, exprès pour soutenir la tête d'un bébé en détresse. »

Le silence enveloppe de nouveau la forêt. Seul le vent continue de s'énerver. L'orage approche mais le baobab ne s'en fait plus. Le tonnerre peut tonner, les nuages se vider, peu importe maintenant. Le bébé chocolat est à l'abri. Si le baobab avait une bouche, il sait exactement ce qu'il ferait : il sourirait.

Chapitre 12

Gris comme la pluie

Sur la route, les passants courbent la tête et pressent le pas. Le vent fait tourbillonner les déchets, crée de petites tornades de sable. Lorsque Léda arrive, à bout de souffle, à l'entrée du marché, les derniers commerçants se dépêchent de remballer leur marchandise avant la pluie. La fillette aperçoit une tache orange entre deux étalages. Kadi se précipite vers elle.

— Où est mon frère ?

Léda se met à trembler, se mord les pouces.

— Où est mon frère ? répète Kadi plus fort.

— Pas loin. Tout près. Dans la forêt.

— Quoi ?! Je t'avais dis de rester au marché !

La voix de Kadi grince comme une craie sur un tableau. Léda baisse la tête, se couvre les oreilles. Le ciel vire au noir. Des éclairs lancent leurs zigzags au-dessus des deux fillettes.

— Allons-y !

Les filles partent en courant vers la forêt. Lorsque Léda aperçoit la barrière blanche, elle accélère. Elle fonce, se trompe de sentier, revient sur ses pas. Elle l'aperçoit enfin, au fond là-bas, le baobab bedonnant, son feuillage secoué par les bourrasques. Elle s'arrête devant l'arbre. Dans le nid de racines où elle a déposé l'enfant : rien. Le vide.

Affolée, Léda court à droite, à gauche, arpente le sentier. Elle hurle :

— Bébé ! Bébé !

Mais le vent hurle encore plus fort qu'elle.

Kadi la saisit par les épaules et lui crie :

— Où est mon frère ?

Léda sanglote.

— Sais pas… Comprends pas. Il a… disparu.

— Disparu ? ! Il ne peut même pas marcher !

Léda se mord les pouces. Kadi tape du pied, se frappe la tête du bout de l'index.

— Il y a quoi là-dedans ? Rien ? Tu as une calebasse* vide au lieu d'une tête !

Elle se déchaîne :

— Stupide ! Laisser un bébé seul ! En pleine forêt ! Tu es plus stupide qu'un âne !

Léda serre les dents pour étouffer ses sanglots. À bout de souffle, Kadi se tait.

☼ **Calebasse** : un récipient fabriqué avec des courges vidées et séchées.

91

Au même moment, les nuages crèvent. La pluie se jette sur les filles, leur pince le visage et les bras, comme pour les punir.

Chapitre 13

Noir comme dans un cercueil

Kadi arpente les sentiers de la forêt. Elle avance en donnant des coups de pied dans sa longue robe trempée. Elle ne cesse de marmonner :

— Mon grand-père me l'avait bien dit : ne jamais faire confiance aux Blancs. Jamais !

Léda suit en silence. Ses pensées tourbillonnent. Qui a pris le bébé ? Pourquoi ? Elle n'a pourtant pas été partie longtemps. Elle n'aurait jamais dû le laisser. Kadi a raison. Elle est stupide. Stupide.

Les filles marchent longtemps ainsi, Kadi devant, Léda, trois pas derrière. Elles tournent en rond dans les sentiers boueux.

Marcher, appeler, chercher. Appeler. Marcher. Chercher encore. Et encore.

À force de patauger dans la boue, de lutter contre le vent, les filles se fatiguent. Elles ralentissent le pas. La pluie, elle, ne ralentit pas et glisse partout ses doigts froids. Les vêtements trempés de Léda lui collent sur le corps. Les tresses en pics de Kadi pendouillent comme des spaghettis mous.

Sans s'en rendre compte, les filles reviennent au baobab. Kadi se plante sous la plus grosse branche pour se protéger de la pluie. Léda s'approche, mais pas trop. D'une voix de souris, elle risque :

— Crois-tu que quelqu'un a kidnappé le bébé pour une rançon ?

— C'est quoi une rançon ?

— Un gros montant d'argent qu'il faut payer aux kidnappeurs pour qu'ils libèrent le kidnappé.

Kadi lève les yeux au ciel et soupire d'impatience.

— Qui voudrait kidnapper mon frère ? Ça crève les yeux qu'on n'a pas un sou.

Léda ose une deuxième question.

— Qu'est-ce qui va se passer si on ne retrouve pas le bébé ?

— On te mettra en prison. Ma grand-mère mourra de chagrin, décrète Kadi, d'un ton dur.

Léda imagine Awa recroquevillée dans un cercueil noir, son œil qui louche fermé à tout jamais. Elle s'imagine derrière les barreaux, grignotant du pain rassis, dans une minuscule cellule infestée de rats.

La fillette s'assoit sur une racine de baobab. Elle se pince les lèvres, presse ses poings contre ses paupières. Surtout, ne pas laisser déborder ses larmes. « Je veux me transformer en gecko et disparaître sous une roche, se dit-elle. Je veux être un gecko. Je veux être un gecko… »

Kadi secoue ses tresses ramollies.

— J'ai une idée !

Elle pousse Léda du bout du pied.

— Allez, Nassara ! On y va !

L'autre ne bouge pas.

— Viens !

Léda plaque ses mains contre ses oreilles, continue de se répéter : « Je veux être un gecko… gecko… gecko… »

Kadi répète d'un ton pressant :

— Il FAUT que tu viennes avec moi.

Léda ne bouge toujours pas. Kadi trépigne. Elle a envie de la tirer par ses longs cheveux, cette Blanche têtue. Elle s'éloigne de trois pas, revient, puis s'accroupit devant la fillette.

— Je vais te dire la vérité. La vraie vérité. Ici, on ne met jamais les Blancs en prison.

Léda lève la tête.

— Pourquoi ?

— Parce qu'ils sont Blancs.

— Ce n'est pas une raison.

Kadi hausse les épaules.

— C'est comme ça. Les Blancs gagnent toujours.

Léda se redresse. Pour la première fois depuis la disparition du bébé, elle ose regarder Kadi en face.

— Pourquoi m'as-tu raconté ce mensonge, alors ?

— Pour me venger.

Léda réfléchit. La colère de Kadi, elle la comprend. Les insultes, elle les a méritées. Mais qu'on lui fasse peur avec des histoires de prison, elle n'accepte pas.

— Tu viens ? demande Kadi, d'un ton nerveux.

— Je ne veux plus que tu me racontes de mensonges.

Kadi se gratte la tête, marmonne :

— D'accord.

— Promis ?

— Promis.

— Une dernière chose.

— Quoi encore ? s'impatiente la fille aux tresses en forme de pics pointus.

— Je veux que tu arrêtes de m'appeler Nassara ! Mon nom, c'est Léda.

Kadi pousse un soupir, lève les yeux au ciel.

— D'accord, Lé-da.

Léda se lève et brosse la terre de ses shorts.

— On va où ?

— Chez mon oncle, le féticheur.

Le baobab bedonnant ne remarque pas le départ des deux filles. Il est trop occupé à boire de toutes ses branches, de toutes ses racines. Il s'ouvre à cette masse d'eau

tombée du ciel. Il se fait éponge. À la saison sèche, quand le vert n'existera plus, que les plantes seront rabougries, que le soleil aura tout calciné, le baobab aura ce trésor liquide dans son ventre gris. En trois cents ans, le baobab a accumulé beaucoup de sagesse. Le vieil arbre sait qu'il doit profiter du moment présent, de chaque perle de pluie qui éclate sur son tronc.

Chapitre 14

Marron comme le sang séché

Dans la case du féticheur*, la flamme tremblante de trois chandelles jette des ombres agitées sur les murs. La pluie tambourine sur le toit de tôle. Soulagée d'être à l'abri de la pluie, Léda trouve cependant ce décor peu rassurant.

À mesure que ses yeux s'habituent à la pénombre, elle découvre ce qui l'entoure. Pas plus grande que sa chambre, la hutte du féticheur déborde d'objets bizarres. Des bouquets de plumes blanches, des queues de bœuf, des cornes de vache, des peaux de

---

❄ **Féticheur**: un sorcier africain, très respecté, capable de donner un pouvoir magique à certains objets ou animaux.

chèvre et des crânes d'animaux pendent aux murs. Des cailloux blancs, des cailloux noirs, des chaudrons d'aluminium, des terrines en terre cuite, des calebasses vides traînent sur le sol de terre battue. Au centre de la pièce, s'élève une petite butte, couverte de taches marron. Des plumes de poules parsèment cette butte. Une odeur d'œuf pourri flotte entre les murs d'argile et de paille.

Kadi attend patiemment pendant que son oncle brasse une mixture étrange dans une corne. Léda se penche et chuchote à l'oreille de Kadi :

— C'est quoi, ces plaques marron sur le sol ?

— Du sang séché.

— Du sang de quoi ?

— De poule.

Léda frissonne, se rapproche un peu plus de Kadi.

— Un féticheur, c'est une sorte de sorcier ?

— Oui, répond Kadi tout bas.

Léda examine le féticheur. Avec son visage sans rides, ses jeans délavés et sa montre au cadran lumineux, il n'a pas l'air d'un sorcier.

— Un bon ou un mauvais sorcier?

Kadi n'a pas le temps de répondre. Son oncle se tourne vers elle et lui fait signe d'avancer. Elle s'accroupit devant lui. Le féticheur ferme les yeux et écoute sa nièce lui raconter en moré la disparition mystérieuse du bébé. Le récit terminé, il garde le silence. Il reste immobile si longtemps que Léda le croit endormi. L'homme ouvre finalement les yeux et prononce quelques mots d'une voix grave. Kadi se tourne vers Léda.

— Tu as des sous sur toi?

— Non. Pourquoi?

— Il faut le payer.

Kadi enlève le collier turquoise, les bracelets de la mère de Léda et les pose devant le féticheur. L'oncle soulève le couvercle d'une terrine, donne un œuf à sa nièce puis lui tourne le dos. Kadi fait signe à Léda de la suivre dehors.

La pluie a enfin cessé. Un soleil pâlot apparaît au-dessus d'un troupeau de nuages. Les vêtements des filles pourront sécher.

Kadi s'éloigne à petits pas de la case du féticheur. Elle tient l'œuf entre ses mains, collé contre son ventre. Après avoir marché pendant quinze minutes dans les ruelles boueuses du quartier, elle s'arrête à un croisement et s'assoit sur une large roche en bordure du fossé.

— On fait quoi, maintenant ? demande Léda.

— On attend que la nuit tombe.

— Pourquoi ?

— Pour déposer l'œuf au carrefour. C'est comme ça qu'il faut faire. Mon oncle me l'a dit.

Lorsque le soleil plonge derrière la ligne d'horizon, Kadi se lève et dépose l'œuf sur le sol, à l'endroit précis où les deux chemins se rencontrent. Elle récite trois fois la même phrase en moré. Lorsqu'elle revient s'asseoir, Léda veut savoir ce qu'elle a dit à l'œuf.

Kadi la regarde comme si elle était folle.

— Tu es drôle, toi ! Depuis quand on parle aux œufs ? J'ai fait un vœu.

— Lequel ?

— J'ai souhaité que mes ancêtres guident le petit vers nous.

Léda a envie de rire, mais se retient par politesse. Elle ne voit pas comment un simple œuf de poule pourrait faire revivre des ancêtres morts ou guider un bébé qui ne sait pas marcher.

— On fait quoi, maintenant ? demande-t-elle de nouveau.

— On attend.

— On attend quoi ?

Kadi dévisage encore Léda comme si elle était cinglée.

— On attend le bébé !

Chapitre 15

Doré comme le jaune d'œuf

La nuit arrive à pas de loup. La lune se faufile entre les nuages, quelques étoiles clignotent dans le ciel sombre. Kadi somnole, le menton appuyé contre sa poitrine. Léda pense à ses parents, qui devaient la prendre à quinze heures chez Habiba du Liban. Ils doivent être malades d'inquiétude. Elle entend un mouvement furtif entre les roches. Un serpent? Elle pense au bébé chocolat, si petit, si vulnérable. S'il fallait… S'il fallait… Non! Mieux vaut penser à autre chose. Elle donne un coup de coude à sa voisine.

— Kadi! Tu as quel âge?

— Sais pas.

— Tu ne sais pas ton âge ? Impossible !

— Personne ne me l'a jamais dit !

— On est de la même grandeur. Tu dois avoir à peu près mon âge : dix ans.

Kadi réfléchit à cette information nouvelle.

— Dix ans… Comme dix saisons des pluies. C'est vieux, fait-elle, pensive.

— Si tu ne sais pas ton âge, quand fêtes-tu ton anniversaire ?

— Je ne le fête pas.

— Jamais ?

— Jamais.

— Jamais de cadeaux, jamais de gâteau ?

Kadi fait non de la tête. Léda n'en revient pas.

— C'est comme ça pour tous les enfants du Burkina Faso ?

— Ceux qui ont des parents riches ont des cadeaux. Ceux qui vont à l'école savent leur âge. Moi, je n'y suis jamais allée.

— Jamais allée à l'école ? Jamais de toute ta vie ?

Léda la regarde comme si elle la voyait pour la première fois. Kadi hausse les épaules, l'air résignée.

— Pas de sous, pas d'école.

— Tes parents n'ont pas d'argent?

— Mes parents sont morts quand j'étais petite.

— Morts? Alors le bébé chocolat n'est pas ton frère?

— Ses parents sont morts aussi. Awa s'en occupe. Donc, maintenant, c'est mon frère.

Léda ne sait plus quoi dire. Kadi relève le menton d'un air de défi.

— Dans mon quartier, quelques enfants vont à l'école, mais ils ne parlent pas le français aussi bien que moi. Le vieux Abdou, notre voisin, m'a appris ta langue. En échange, je lui apporte de l'eau tous les jours. Je lave aussi ses vêtements.

Sur la route, deux paysans s'avancent, suivis de leurs ânes chargés d'énormes piles de branchages. En traversant le carrefour, l'un des ânes marche sur l'œuf. Kadi se lève d'un bond et examine son œuf brisé. Le jaune s'écoule de la coquille, se répand, lisse et doré, dans la terre humide du chemin.

La fillette tire sur ses tresses en forme de pics. Ses lèvres tremblent. Léda se demande si elle va pleurer. L'œuf cassé, est-ce que ça veut dire que le vœu ne se réalisera pas ? Qu'elles ne retrouveront jamais le petit ? Léda ne pose pas la question. Elle a trop peur de la réponse.

Les filles restent debout au carrefour, silencieuses, immobiles. Elles sursautent lorsqu'un chien, surgi de nulle part, se précipite et lape le jaune d'œuf. Kadi donne un coup de pied à l'animal qui se sauve en hurlant.

Cette bête en fuite rappelle à Léda le chien couleur prune à la gueule d'hyène. Elle croit entendre ses grognements menaçants par-dessus les hurlements du bébé chocolat. Le petit ! Seul dans la forêt... Oh non ! Non ! Pas le chien ! Pas le bébé ! Léda se tord les mains. Elle se tourne vers Kadi et lance :

— On retourne dans la forêt.

— Hein ?

— Je veux retourner au baobab.

— Es-tu folle ? On ne peut pas aller près d'un baobab la nuit.

— Pourquoi ?

— Parce qu'il peut nous lancer des pierres, nous jeter un sort. Les baobabs marchent la nuit. Si on les voit se promener, on devient fou.

Léda lève le ton :

— Tu avais promis de ne plus me raconter de mensonges.

— C'est vrai, je te le jure !

— Un arbre qui lance des roches ? Tu te moques de moi !

— C'est vrai ! Demande à ma grand-mère ! À ton gardien ! À n'importe quel Africain !

Kadi a l'air sincère, mais Léda n'a pas envie de la croire.

— Il faut attendre le bébé près du baobab. Je le sens.

Kadi retourne s'asseoir sur sa grosse roche et croise les bras d'un air têtu.

— Tant pis. J'irai toute seule.

— Tu vas te perdre ! Tu ne connais même pas la route ! crie Kadi.

Léda n'écoute plus. Elle s'enfonce dans la nuit en serrant les poings.

Un homme aussi long et maigre qu'un bâton de berger parcourt les sentiers de la forêt. De petits morceaux d'or tombent de ses poches et tourbillonnent dans les rigoles. L'homme s'arrête net devant une flaque de boue. Il se penche et ramasse un objet à demi enfoui dans la flaque. De ses longs doigts brun café, il nettoie la sandale mauve. Il ne se préoccupe pas de la boue qui coule sur son pantalon.

« Pas bon signe du tout », pense l'homme. L'odeur du malheur — encore cette puanteur de moisi — s'infiltre dans ses narines.

L'homme serre la sandale contre sa poitrine et se met à courir. Sous l'effet de l'inquiétude, son cœur s'emballe. Son cœur cogne si fort que les buissons frémissent et les arbres frissonnent.

Chapitre 16

Bleue comme la peur

Léda avance lentement dans ce quartier sans lampadaires. Pour éviter de se faire frapper par une moto ou un vélo sans phares, elle marche sur l'accotement. La lune ne lui rend pas service. Elle va et vient entre les nuages, éclaire un instant le chemin pour mieux le replonger dans l'obscurité.

Léda a soif. Elle n'a rien mangé depuis son petit-déjeuner. La faim lui donne des crampes. Ses pieds égratignés et meurtris la font souffrir. Elle a mal à la gorge d'avoir tant crié. Elle a mal aux pouces de les avoir tant mordus. Elle a envie de pleurer.

De plus, elle a déjà deux piqûres de moustique dans le cou, trois autres sur les jambes et ça continue. « Si ce sont des moustiques à malaria, peut-être que je vais mourir, se dit Léda. Comme ça, personne ne pourra me punir d'avoir abandonné le bébé chocolat. Mais si je meurs, je ne saurai jamais si on l'a retrouvé… »

Léda pense aux doigts du bébé, aussi lisses que le satin. Où peut-on bien l'avoir emmené ? A-t-il faim, lui aussi ? A-t-il peur ?

Elle ne reconnaît pas la route. Où se trouve la forêt ? Devant ou derrière ? À droite ou à gauche ? Elle ne sait plus. Elle a très envie de pleurer.

Derrière elle, une voix crie : « Léda ! Léda ! » Elle se retourne et voit Kadi qui arrive en courant, sa robe orange flottant derrière elle comme la voile d'une pirogue. Léda est si soulagée qu'elle a presque envie d'embrasser Miss Porc-épic.

— Tu vas dans la mauvaise direction, lance Kadi.

— Alors, je te suis, répond Léda en essayant de ne pas sourire.

Les filles font demi-tour. Pour la première fois, elles marchent côte à côte.

— Tu as faim ?

— Une faim d'éléphant qui n'a pas mangé depuis trois jours.

Kadi tire deux jujubes de sa poche et les offre à Léda.

— C'est tout ce qui me reste, dit-elle, l'air gênée.

Léda choisit un jujube.

— Prends les deux.

— On partage, insiste Léda.

Elles reprennent la route, chacune suçant son bonbon pour le faire durer plus longtemps. Devant la barrière blanche, à l'entrée de la forêt, Kadi s'arrête.

— Tu veux vraiment y aller?

— Tu as peur? demande Léda.

Kadi hoche la tête.

— Moi aussi, avoue Léda. J'ai une peur bleue. Mais il faut que j'y aille.

Toutes deux restent immobiles un instant, puis Léda s'écrit:

— J'ai une idée! Tu viens avec moi, mais tu ne t'approches pas du baobab.

L'autre ne répond pas. Léda passe sous la barrière et attend. Kadi tire nerveusement sur ses tresses. Léda s'engage seule dans le sentier. Kadi pousse un gros soupir et passe à son tour sous la barrière.

Chapitre 17

Brun contre blanc, comme l'amitié

Dans la forêt, il fait encore plus noir que sur la route. Cette fois, Léda ouvre la marche et Kadi suit. Les fillettes entendent des bruits étranges, devinent des mouvements mystérieux dans l'obscurité. Les branches des arbres ont l'air de longues mains crochues…

Elles avancent à pas peureux dans le sentier boueux. Dès que Léda voit le tronc bedonnant de son baobab, elle se sent plus légère. Kadi s'arrête à cinq mètres de l'arbre, tourne le dos et annonce :

— Je ne vais pas plus loin.

Léda s'avance jusqu'au baobab, en fait le tour. Dans l'enchevêtrement de racines où reposait le bébé chocolat, il y a… des racines. Rien que des racines. Tout le malheur du monde pèse sur les épaules de Léda. Elle ferme les yeux, presse son visage contre l'écorce lisse. Si seulement le baobab pouvait parler, lui dire qui a pris le bébé. D'un pas lourd, elle retourne vers Kadi.

— Tu n'as rien trouvé ?

— Non, répond Léda, d'une voix éteinte.

— Je le savais. On peut partir maintenant.

— Attendons encore un peu. Juste un petit peu, supplie Léda.

Elle entraîne Kadi un peu plus loin, s'assoit sur le sol mouillé et appuie son dos contre un manguier. Kadi se laisse tomber à côté d'elle.

Un troupeau de nuages se déplace au-dessus de leurs têtes et dévoile une myriade d'étoiles. Léda soupire.

— En ce moment, je m'envolerais bien vers Léda.

— Hein ?

— Tu ne connais pas Léda ? C'est le plus petit des satellites qui tournent autour de Jupiter.

Kadi n'a jamais entendu parler de cet animal nommé Léda, et encore moins d'un pays nommé Jupiter. Elle préfère changer de sujet.

— Ton pays, c'est la France ?

— Le Canada. J'habite la province de Québec.

Kadi ne réagit pas. Léda se demande si elle devrait lui expliquer la différence entre un pays et une province. Elle ne veut pas que Kadi se sente ignorante.

— Pourquoi tu es venue habiter au Burkina ?

— À cause de mes parents. Ils voulaient connaître l'Afrique. Ils voulaient aussi soigner gratuitement des malades incapables de payer. Je les ai boudés longtemps. Au début, j'étais très malheureuse ici.

— Malheureuse ? s'étonne Kadi. Avec ton frigo plein, tes bonbons, ta piscine, ta grande école ?

— Je m'ennuyais de mes amies. De ma grand-mère. De la neige.

En pensant à l'hiver, Léda frissonne dans ses vêtements humides. Elle ramène ses genoux sous son menton, étire son t-shirt pour recouvrir ses jambes.

— Si tu as froid, on peut partager ma robe, offre la fillette aux minitresses.

Léda se rapproche. Kadi dégage un pan de tissu orange et couvre les jambes de sa voisine.

— Pour une fois que ça sert d'avoir une robe trop grande.

Léda colle son bras contre le bras de Kadi.

— Tu as la peau chaude.

— Et toi la peau froide.

Les fillettes ricanent pour cacher leur gêne.

— Comment tu fais pour avoir les cheveux aussi lisses ? Tu les repasses ?

Léda pouffe de rire.

— Je suis née avec ces cheveux-là. Et toi ? Ça doit prendre un temps fou pour faire toutes ces petites tresses ?

— Oui. Ça tire aussi.

— Je peux toucher ?

— Si tu me laisses toucher les tiens.

Kadi passe timidement sa main dans les cheveux de Léda.

— Je savais que ce serait doux.

Léda tapote avec précaution les tresses en pics de Kadi.

— Ouch ! Ça pique !

Kadi hésite un instant, comprend la blague. Leurs rires éclatent au même moment.

Les rires de Kadi et Léda rebondissent doucement contre le tronc du baobab bedonnant. Ils montent un peu plus haut, s'enroulent autour des branches. L'arbre enregistre cette musique coquine. Il se la rejouera pendant les longs mois silencieux de la saison sèche.

Le baobab se tient tranquille. Il immobilise jusqu'à la plus petite de ses feuilles et fait taire les voix des ancêtres. Il ne veut pas effrayer la fille aux pics pointus. Du haut de ses vingt mètres, il observe les deux têtes rapprochées, la blonde et la noire. Ce doit être ça l'amitié : deux jambes blanches et deux jambes brunes enveloppées dans un même pan de robe. Si le baobab avait des mains, il sait exactement ce qu'il ferait : il applaudirait.

Chapitre 18

Blanc comme le pain de singe

Léda examine le bras de Kadi.

— Ta peau est de la même couleur que celle du bébé chocolat.

Kadi soupire.

— Si on retrouve mon frère vivant, je ne mangerai plus jamais de papaye.

— Plus jamais ?

— Euh… Disons… plus de papaye pendant deux mois.

Léda réfléchit. C'est elle qui les a mises dans ce pétrin. Son sacrifice devrait donc être encore plus grand que celui de Kadi.

— Si on retrouve le petit sain et sauf, je ne mangerai pas de gâteau au chocolat pendant un an.

— Ça goûte quoi ? demande Kadi.

— Tu n'as jamais mangé de gâteau au chocolat ? s'exclame Léda, scandalisée.

Kadi se hérisse.

— Où veux-tu que je trouve les sous pour acheter cette nourriture de riches ?

— Euh…

Léda se mord les pouces, hésite à s'excuser. Elle ne veut pas gêner Kadi davantage.

Soudain, elle a une révélation. N'avoir jamais goûté à du gâteau au chocolat. N'avoir jamais célébré sa fête. N'être jamais allée à l'école. Porter toujours la même robe trop grande. C'est ça la pauvreté ! Pour la première fois, Léda comprend vraiment.

— Je parie que tu n'as jamais goûté au pain de singe, lance Kadi.

— C'est bon ?

— Miam-miam ! J'adore le jus que ma grand-mère prépare avec les graines.

— Kadi ! J'en ai vu ! Des pains de singe ! Dans le baobab. Je pourrais grimper et en décrocher un.

— Tu es folle ! En pleine nuit !

— Mais j'ai tellement faim !

— Moi, je préfère mourir de faim plutôt que de manger un pain de singe cueilli la nuit !

Léda se rassoit, déçue. Après un instant de silence, elle reprend :

— Je vais demander à notre cuisinière de préparer un gâteau au chocolat. Tu viendras chez moi y goûter.

Kadi hausse les épaules.

— Des promesses. Les Blancs font toujours des promesses. Puis, ils oublient.

— Moi, je n'oublierai PAS, proteste Léda.

Les filles contemplent le ciel en silence.

— Je n'ai jamais eu d'amie africaine.

Le nez toujours en l'air, Kadi ne bronche pas.

— Tu as déjà eu une amie blanche ?

— Non.

Léda hésite, puis lance sa question, espérant qu'elle ne tombera pas dans le vide.

— Tu en voudrais une ?

Kadi grimace.

— Impossible.

— Pourquoi ?

— Tu as ton école, tes cours de tennis, ta piscine, tes copines blanches… Moi, j'ai une robe sale et des arachides à vendre. Parfois, j'ai aussi des poux.

— Arrête de parler tout le temps de ma piscine ou de mon frigo. Ça n'a rien à voir avec l'amitié.

— Tu ne vois pas le lien? Tu ne vois donc pas qu'une amitié entre celle-qui-a-tout et celle-qui-n'a-rien, c'est comme une amitié entre un hippopotame et une fourmi. Impossible et impensable.

— Mais Kadi, tu n'es pas celle-qui-n'a-rien. Tu as ta liberté. Moi, je ne peux même pas me rendre seule à l'école. Tu as ta grand-mère. La mienne dort sur un autre continent. Tu as ton frère. Je n'en ai jamais eu. Tu as…

Kadi l'interrompt d'un coup de coude.

— Regarde!

— Quoi?

Une ombre bouge au loin. Un grognement. Le chien couleur prune à la gueule d'hyène sort d'un fossé. Léda se lève d'un bond. Le cabot la fixe avec le même air hargneux que ce matin. Il grogne. Il a encore faim ce chien!

Kadi cherche un bâton, une pierre, n'importe quoi. Léda essaie de ne pas trembler. Elle ramasse une poignée de gravier et la lance en direction de l'animal. Le chien grogne plus fort, se rapproche. Les filles hurlent.

Quelqu'un lance une lourde pierre qui survole leurs têtes et frappe le dos du chien. L'animal s'enfuit en gémissant. Stupéfaites, les fillettes se retournent. Un homme, aussi long et maigre qu'un bâton de berger, s'avance vers elles. Léda s'élance vers lui, jette ses bras autour de sa taille et enfouit son visage dans sa chemise. Dieudonné sent la boue fraîche et l'hibiscus.

Le jardinier caresse doucement la tête de Léda. Kadi les observe, surprise.

— Le bébé… perdu. Ma faute…, bafouille Léda.

— Je sais. Je sais, dit Dieudonné.

Il prend la main de Léda, puis celle de Kadi.

— Rentrons. Tes parents sont très inquiets. La grand-mère de Kadi aussi.

— Mais le bébé…, gémit l'une.

— Je ne rentre pas sans mon frère, déclare l'autre.

— Tout va s'arranger. Faites-moi confiance.

Les cicatrices de Dieudonné se plissent. Léda et Kadi ne comprennent pas comment il peut sourire dans un moment pareil. Mais la faim et la fatigue leur enlèvent toute énergie. Elles n'ont plus la force de poser des questions, plus le désir de protester.

Le trio sort lentement de la forêt. Les filles traînent de la patte. Dieudonné plonge la main dans sa poche et en tire des morceaux de mangue séchée. Kadi en enfourne trois d'un seul coup. Léda l'imite. Ce goût sucré sur sa langue ! Ah ! Quel délice divin ! Elle serre un peu plus fort les doigts brun café.

— Nos mangues, c'est notre or, déclare-t-elle la bouche pleine.

Dieudonné éclate de rire. Ses yeux brillent.

— Tu as tout compris, Princesse !

Il ébouriffe la chevelure blonde.

Le baobab bedonnant regarde le groupe s'éloigner, l'homme guidant les fillettes vaguement rassurées. « Parfois, la vie arrange bien les choses, pense l'arbre. Ces grandes mains ont été moulées dans la tendresse, exprès pour tenir celles des enfants en détresse. » Si le baobab avait des pieds, il sait exactement ce qu'il ferait : il danserait.

Chapitre 19

Brun comme du gâteau au chocolat

Lorsque Léda voit la file de voitures stationnées devant la maison, elle se mord les pouces et recommence à grelotter. La peur revient en force. Peur de se faire disputer. Peur d'apprendre le pire. Quand le gardien ouvre le portail, une clameur accueille Dieudonné et les filles. Sur la terrasse bondée, tout le monde applaudit.

Le père de Léda se précipite, la soulève dans ses bras, la serre à l'étouffer. Sa mère presse sa tête contre le dos de sa fille et pleure sans retenue. Par-dessus l'épaule de son père, Léda aperçoit ses trois copines. Béatrice de Belgique, Myriam du Maroc et Habiba du Liban braillent en chœur.

Soudain, un cri monte dans la nuit. Léda étire le cou, tente de savoir pourquoi Kadi crie ainsi. Elle gigote pour se libérer de la poigne de ses parents.

— Lâche-moi, papa ! Lâche-moi !

Léda court vers la vieille Awa qui serre sa petite-fille dans ses bras. Kadi tient un paquet enveloppé dans un pan de sa robe orange. Lorsqu'elle voit Léda, la fillette soulève son frère, l'exhibe comme un trophée.

— Il a tous ses morceaux !

Léda n'ose pas s'approcher. Elle reste plantée là, comme un piquet. Des sanglots silencieux la secouent. Elle a peur qu'il s'agisse d'un mirage.

Kadi s'avance vers elle et lui tend le petit. Léda hoquette, secoue la tête de gauche à droite. Elle ne mérite pas de le prendre. Dieudonné s'avance, pose la main sur l'épaule de la fillette blonde.

— C'est toi qui l'as trouvé ?

— Je t'ai vue au marché donner les bijoux à Kadi, explique le jardinier. Je t'ai suivie dans la forêt. Quand tu es partie, j'ai pris le bébé et l'ai ramené à Awa. Après, j'ai perdu ta trace.

La grand-mère s'approche, enferme les mains de Léda dans les siennes et les serre très fort. Elle louche encore plus, comme chaque fois qu'elle s'énerve. Elle babille en moré à toute vitesse.

— Awa dit qu'elle est très soulagée que vous soyez tous les trois sains et saufs, traduit Dieudonné. Elle dit qu'il ne faut jamais échanger un enfant contre des bijoux et qu'elle va tirer les oreilles de Kadi…

— Non ! Il ne faut pas punir Kadi ! interrompt Léda. C'est ma faute ! Ma faute À MOI…, répète-t-elle.

— Ne t'en fais pas, Léda, les colères de ma grand-mère sont aussi terribles que celles d'un poussin, explique Kadi.

Elle tend de nouveau son frère à Léda qui, cette fois-ci, le prend dans ses bras. Elle blottit son visage dans le cou du bébé chocolat, contre sa peau toujours aussi douce. Le petit lâche son rire de trompette. « Il ne m'en veut pas ! » pense Léda, bouleversée.

Elle se penche et murmure à l'oreille du poupon : « Désolée… Désolée… Plus jamais… » Le petit roucoule. Des larmes tombent sur le bedon en forme d'œuf de Pâques. Léda découvre qu'elle peut pleurer et rire en même temps.

Il a fallu deux semaines et trois essais pour que la cuisinière réussisse son gâteau au chocolat comme elle le souhaitait. Finalement, ce matin, elle en a mitonné un parfait. Ni trop plat, ni trop sec, ni trop lourd. Après avoir chaudement félicité la cuisinière, Léda a couru lancer ses invitations, contente de pouvoir enfin honorer sa promesse faite à Kadi.

En début d'après-midi, lorsque Dieudonné arrive pour désherber les plates-bandes, il trouve la cour remplie de fillettes jacassantes. Penchée au-dessus de la planche de scrabble, Kadi regarde Habiba du Liban assembler les lettres de son prénom. Elle répète joyeusement : K-A-D-I.

Transformée en coiffeuse, Béatrice de Belgique s'active à faire des dizaines de petites tresses à Léda. Tout pimpant dans sa salopette violette, le bébé chocolat trône au centre d'une couverture posée sur l'herbe.

Il bat l'air de ses menottes, au même rythme que Myriam du Maroc sur son balafon.

Dès qu'elle voit la cuisinière arriver avec le gâteau, Léda se lève d'un bond.

— Hé, je n'ai pas fini tes tresses, proteste Béatrice.

Mais Léda n'écoute pas. Elle s'empare du gâteau et le pose sur la planche de scrabble, devant Kadi.

— Je t'avais dis que je n'oublierais pas.

— Magnifique ! fait Kadi, admirative.

Puis, elle demande à sa copine, d'un ton moqueur :

— Et toi, tu manges quoi pour ton goûter ?

Léda éclate de rire.

— Je vais me régaler du pain de singe cueilli sur un baobab qui faisait son jogging de nuit... Ensuite, je vais me transformer en gecko à trois têtes... en hippopotame à pois roses... en serpent zébré... et j'irai te hanter dans tes rêves...

Kadi hausse les épaules et enfourne une énorme bouchée de gâteau.

— Miam... délicieux ! Maintenant, je vais vouloir en manger tous les jours !

— Léda ne mange pas de gâteau ? Difficile à croire ! lance Myriam.

— Elle a juré de ne pas en manger pendant un an si on retrouvait mon frère. Il s'est écoulé deux semaines seulement. Il lui reste encore beaucoup de jours et beaucoup de nuits sans gâteau, répond Kadi, affichant un sourire chocolaté.

— Si tu continues comme ça, je t'aplatis les tresses, menace Léda.

— Gah, gah, gargouille le bébé chocolat.

Béatrice prend son dessert et va s'allonger sur la couverture à côté du poupon. Elle lui offre de petits bouts de pâtisserie qu'il avale goulûment.

— Continue de manger avec autant d'appétit ; tu grandiras bien, fort et costaud, et tu feras un super joueur de soccer, lui déclare-t-elle.

— Regardez ! Le glaçage est exactement de la même couleur que la peau du bébé chocolat, s'enchante Myriam.

Le poupon lui répond par un roucoulement.

Après avoir servi ses copines, Léda coupe une pointe de gâteau pour le jardinier.

Elle le rejoint sur le gazon et lui tend l'assiette. Il la remercie d'un sourire. Ses cicatrices rapetissent. Léda le trouve beau.

— Dieudonné, j'ai mal dans la poitrine.

— C'est grave?

— Très grave, affirme-t-elle.

— C'est encore le mal du pays?

— Non... J'ai un baobab qui me pousse dans le cœur.

FIN